Disney
présente

ART ATTACK ™

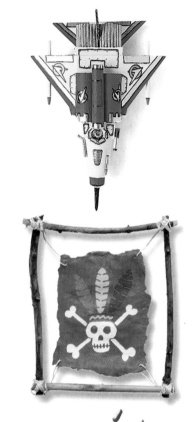

2

Neil Buchanan

imagine

imagine

Conception artistique Jacqueline Gooden
Conception éditoriale Penelope York
Responsable d'édition Fiona Robertson
Responsable artistique Rebecca Johns

Conception maquette Jim Copley
Photographies Steve Gorton
Direction artistique Rachael Foster

Direction éditoriale Mary Ling
Fabrication Lisa Moss
PAO Almudena Díaz

Édition originale publiée en Grande-Bretagne en 1999
par Dorling Kindersley Limited,
9 Henrietta Street, London WC2E 8PS

La traduction française a été réalisée par
FRANKLAND PUBLISHING SERVICES LTD
Montage : Thierry Blanc • Couverture : Pitchall & Gunzi Ltd
Traduction : Céline Carez

Catalogage avant publication de la Bibliothèque nationale du Canada
Buchanan, Neil
Art attack
Traduction de: Art attack.
Comprend un index.
6 à 12 ans.
Sommaire: v. 2. De nouvelles idées géniales.

ISBN 2-89608-005-8 (v. 2)

1. Artisanat - Ouvrages pour la jeunesse. 2. Recyclage (Déchets, etc.) -
Ouvrages pour la jeunesse. 3. Objets trouvés (Art) -
Ouvrages pour la jeunesse. I. Rouault, Philippe. II. Titre.
TT160.B8214 2004   j745.5   C2003941589-9

Les Éditions Imagine inc.
4446, boul. St-Laurent, 7ᵉ étage, Montréal (Québec) H2W 1Z5

ISBN 2-89608-005-8
Dépôt légal : Bibliothèque nationale du Québec, 2004

Imprimé et relié en Chine par Toppan Printing Centre
10 9 8 7 6 5 4 3 2

Dorling Kindersley souhaite remercier Media Merchants pour leur aide
et leur enthousiasme, Mark Haygarth pour le design de la couverture
et Andy Crawford pour les photographies.
Remerciements à Gill Cooling pour son aide éditoriale, Piers Tilbury
pour la maquette et Gary Omber pour les photographies.

SOMMAIRE

 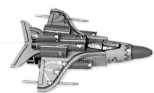

SALUT LES ARTISTES !

Me voici de retour pour de nouvelles aventures et avec plein d'idées géniales ! Ouvre ce livre et découvre tous ces trésors à fabriquer toi-même ! C'est facile, amusant, économique, et cela va impressionner tous tes amis ! Des gadgets pour ranger ta chambre, des tableaux 3D, des images magiques, des carnets secrets, des engins incroyables, des monstres et des farces et attrapes... pas besoin d'être un champion ou un grand artiste pour réaliser tout cela ! Juste un peu de matériel de récupération, des crayons, du papier, des pinceaux, et à l'attaque !

Neil Buchanan

Papier calque

Papier d'aluminium

Papier de soie

Ficelle

Essuie-tout

Craies de couleur

Pinceaux

Attaches parisiennes

Le produit indispensable

Pour réaliser les projets de ce livre, il faut préparer toi-même un mélange épais de colle blanche et d'eau. Il faut mettre deux fois plus de colle que d'eau.

Deux cuillerées de colle

Une cuillerée d'eau

Bonne proportion du mélange

Stylos dorés et argentés

Feutres marqueurs ★

Carton épais

Papier de couleur

Journaux

Ballon

Gouache

Peinture acrylique

Vive la récupération !

Il y a des milliers de choses à récupérer parmi les objets que ta famille jette ! Papiers cadeaux, ficelle, boîtes... Ouvre l'œil !

Film alimentaire

Papier cadeau

Crayons de couleur

Équerres, règle et rapporteur

Monsieur Bricolo

Monsieur Bricolo apparaît dans les pages pour t'aider dans tes projets, te donner des conseils judicieux et te livrer les secrets de fabrication.

MONTRE GÉANTE

Si tu es du genre distrait, voici ce qu'il te faut. Cette étonnante montre géante ne te donnera pas l'heure mais la date !

Fabrication

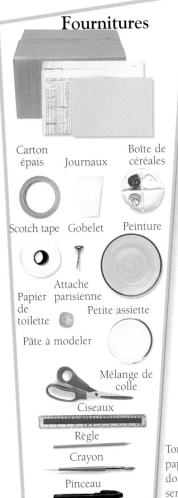

Fournitures

Carton épais

Journaux

Boîte de céréales

Scotch tape

Gobelet

Peinture

Papier de toilette

Attache parisienne

Petite assiette

Pâte à modeler

Mélange de colle

Ciseaux

Règle

Crayon

Pinceau

Feutre marqueur

Enfonce le crayon dans une boulette de pâte à modeler que tu auras placée sous le carton.

1 Découpe un rectangle de carton épais. Sers-toi d'une assiette pour y tracer un cercle. Marque un point au centre en t'aidant d'une règle.

2 Découpe ton rond de carton. Avec une mine de crayon bien taillée, perce un petit trou au centre. Voici le cadran de la montre géante.

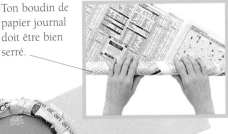

Ton boudin de papier journal doit être bien serré.

Pour le remontoir, colle au cadran une minuscule boule de papier.

Pour le petit fermoir de la montre, fais un tout petit boudin de papier et scotche-le au centre.

5 Retourne la montre. Roule le papier journal sur lui-même en forme de petit boudin. Ce rouleau doit faire le tour du cadran. Maintiens-le bien en place et scotche-le. Voilà pour l'effet 3D !

6 Pour fabriquer la boucle, fais un boudin de papier plus petit. Plie-le en forme de «C» et scotche-le de chaque côté du bracelet.

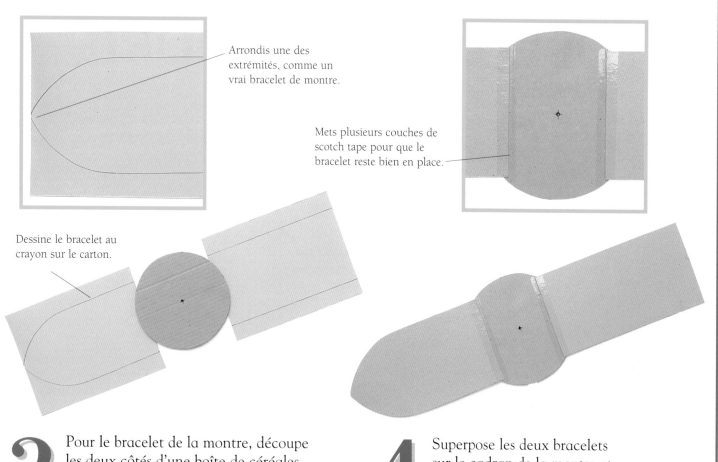

Arrondis une des extrémités, comme un vrai bracelet de montre.

Mets plusieurs couches de scotch tape pour que le bracelet reste bien en place.

Dessine le bracelet au crayon sur le carton.

3 Pour le bracelet de la montre, découpe les deux côtés d'une boîte de céréales. Places-en un de chaque côté du cadran. Dessine des bracelets assez minces et découpe-les.

4 Superpose les deux bracelets sur le cadran de la montre et colle-les. Voici le dos de ta montre. Tout doit être parfaitement collé.

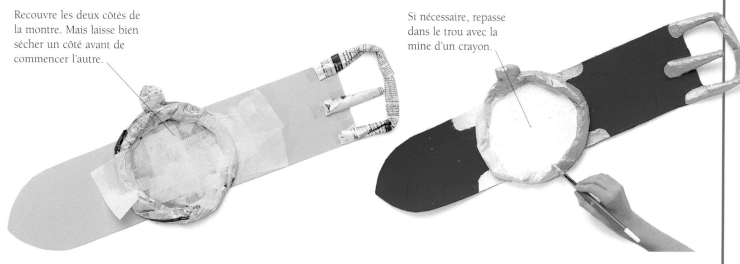

Recouvre les deux côtés de la montre. Mais laisse bien sécher un côté avant de commencer l'autre.

Si nécessaire, repasse dans le trou avec la mine d'un crayon.

7 Pour consolider la montre, passe dessus une couche de mélange de colle. Recouvre de papier de toilette. Laisse sécher toute la nuit pour que la colle durcisse.

8 Peins la montre à la gouache ou à l'acrylique : le cadran en blanc et le bracelet d'une belle couleur vive. Les parties en métal seront peintes couleur argent ou or.

DRÔLE DE CALENDRIER

E ncore quelques finitions et ton calendrier sera prêt! Accroche-le bien en évidence de manière à repérer la date d'un coup d'œil!

La grande aiguille doit être suffisamment longue pour atteindre les grands chiffres.

Monsieur Bricolo
Attention à ne pas faire les aiguilles trop longues; elles risqueraient de cacher les chiffres.

La petite aiguille atteindra, elle, les petits chiffres.

Et pourquoi ne pas essayer de belles couleurs vives, des gros pois ou des rayures?

Côté horlogerie...

Dessine et découpe deux aiguilles de montre de taille différente dans du carton épais. Perce un trou à chaque bout. Fixe-les au centre du cadran avec une attache parisienne. Referme-la bien de l'autre côté.

Les grands chiffres représentent les mois de l'année.

Quand les chiffres du cadran sont bien positionnés à égale distance, repasse-les au feutre.

Coordonne le style des aiguilles à la montre.

À toi de décider du style et de la couleur du bracelet. Les petits détails comme les points de couture au feutre marqueur sont très chics.

Pour changer la date, il suffit de tourner les aiguilles ! La grande aiguille qui pointe sur les gros chiffres indique les mois, la petite placée sur les petits chiffres indique les jours du mois.

À chacun sa montre !

Pour toujours connaître la date, fabrique plusieurs modèles inédits, avec des couleurs et des styles amusants. Tu pourras ainsi en avoir dans chaque pièce de la maison.

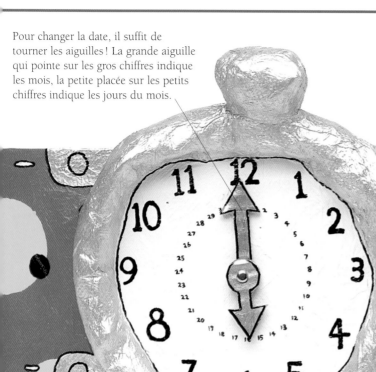
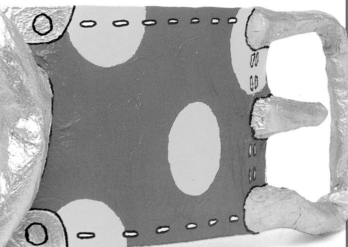

Super mode

Une fois la montre-calendrier terminée, tu peux rajouter des petits détails amusants qui donneront à ton œuvre un style fou... à faire pâlir de jalousie les amis !

Sers-toi d'un gobelet en plastique pour tracer le cercle des jours.

Monsieur Bricolo

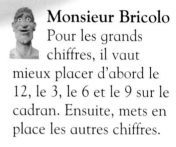

Pour les grands chiffres, il vaut mieux placer d'abord le 12, le 3, le 6 et le 9 sur le cadran. Ensuite, mets en place les autres chiffres.

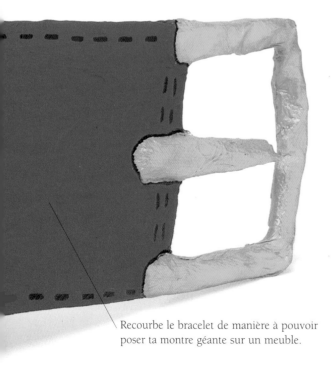

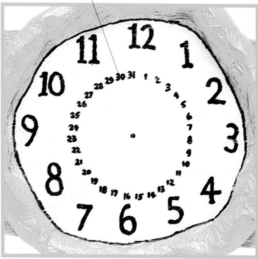

Recourbe le bracelet de manière à pouvoir poser ta montre géante sur un meuble.

1, 2, 3...

Le cadran doit avoir deux cercles de chiffres : celui des mois, de 1 à 12, et celui des jours, de 1 à 31. Prévois le même espace entre chaque chiffre. Pour les jours, trace au crayon 31 espaces identiques.

CADRE SAFARI

Si tu possèdes une photo ou une image de style « safari » à mettre en valeur, voici le cadre qu'il te faut. Exotisme assuré !

Fabrication

Prévois un cadre deux fois plus grand que ton image.

Noue fermement les deux bouts de ficelle l'un avec l'autre.

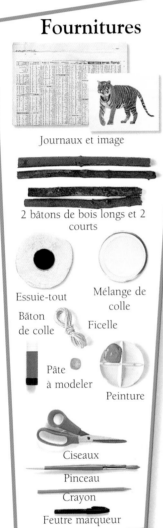

Fournitures

Journaux et image

2 bâtons de bois longs et 2 courts

Essuie-tout

Mélange de colle

Bâton de colle   Ficelle

Pâte à modeler

Peinture

Ciseaux

Pinceau

Crayon

Feutre marqueur

1 Dispose les quatre bâtons de bois en rectangle. Arrange-toi pour qu'ils se chevauchent aux extrémités, comme sur la photo.

2 Découpe quatre bouts de ficelle et sers-t'en pour attacher les bâtons ensemble. Enroule trois fois la ficelle et fais un nœud. Renouvelle l'opération dans l'autre sens.

L'essuie-tout donnera un aspect vieilli.

N'hésite pas à ajouter des feuilles d'essuie-tout pour obtenir une bonne épaisseur.

Peins les deux côtés pour pouvoir les utiliser tous les deux pour mettre des images.

Monsieur Bricolo
Attention ! Protège la surface de travail avec du papier journal. Quand tu fais du collage, c'est toujours assez salissant.

3 Pour donner une impression de vieux cuir, déchire un bout de papier journal. Passe dessus une couche de mélange de colle et recouvre-le de plusieurs couches d'essuie-tout.

4 Laisse sécher la colle toute la nuit pour obtenir un effet vieux cuir. Puis peins chaque côté avec de la gouache ou de l'acrylique couleur cuir.

Vérifie bien que les bouts de ficelle sont assez longs pour s'attacher au cadre.

Quelques petits points de colle sur les côtés suffisent.

5 Place une petite boule de pâte à modeler à chaque angle. Passes-y la mine pointue d'un crayon pour faire un trou. Passe ensuite un bout de ficelle à chaque angle et attache-la au cadre. Utilise le même type de ficelle que celui qui a servi pour le cadre.

6 Choisis une photo ou une image qui va avec le cadre. C'est mieux de choisir une photo ou une image sur le thème du safari, comme une bête sauvage. Découpe-la. Mets quelques points de colle au dos et colle-la au centre.

Trophée de chasse

Attache un bout de ficelle en haut du cadre et accroche ton trophée de safari sur une porte ou au-dessus de ton lit... pour montrer à tes amis !

C'est à toi de choisir la taille de ton cadre en fonction de l'image que tu veux y mettre.

N'oublie pas les petits détails, comme ces empreintes dessinées au feutre marqueur.

Arrière !

Si tu n'as pas de photo ou d'image safari, tu peux toujours dessiner toi-même quelque chose de « sauvage » pour mettre sur la porte de ta chambre.

OREILLES EN PORTES DE GRANGE

À toi de fabriquer cette drôle de tête. Du carton, quelques attaches parisiennes, et voici des oreilles en portes de grange !

Fabrication

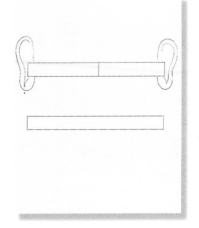

Place une boule de pâte à modeler sous la bande. Perce un trou avec la mine pointue d'un crayon.

Fournitures

Feuilles cartonnées blanches

Attaches parisiennes

Peinture

Règle

Gomme

Pâte à modeler

Ciseaux

Pinceau

Crayon

1 Sur une feuille cartonnée, dessine deux bandes et deux oreilles aux extrémités de l'une d'elles. Découpe le tout et coupe en deux la bande à oreilles.

2 Sur la grande bande, perce un trou de chaque côté à 2 cm du bord. Procède de la même manière pour les deux bandes à oreilles, à 2 cm du bord.

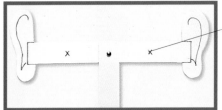

Trace une petite croix à distance égale entre chaque oreille et l'attache parisienne du centre.

Ces petites croix marqueront l'emplacement des yeux et te serviront à assembler le visage aux oreilles en portes de grange en y perçant deux trous.

3 Assemble les trois pièces avec une attache parisienne. Replie bien les deux pointes de l'attache parisienne pour que cela ne pique pas. Voici le mécanisme des « portes de grange » !

4 Prends une autre feuille cartonnée et poses-y ton mécanisme fait de portes de grange. Sur cette feuille, marque d'une croix les lobes d'oreilles et le milieu de chaque bande à oreilles.

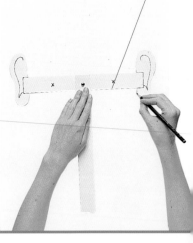

Face de clown

Une fois le visage peint et sec, découpe-le. Fixe-le sur ton mécanisme de «portes de grange» en mettant deux attaches parisiennes dans les yeux. Replie-les derrière. Il ne te reste plus qu'à animer ton bonhomme aux portes de grange.

Peins les oreilles de manière à ce qu'il n'y ait aucun blanc lorsque tu les bouges.

Tu peux renforcer les traits avec un marqueur pour donner à ton bonhomme un aspect amusant.

Il faut tirer la languette pour actionner les oreilles.

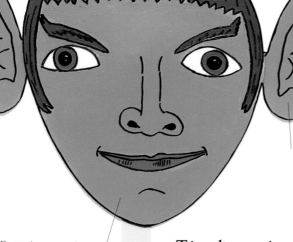

Fais les oreilles de la taille, de la forme et de la couleur qui t'inspirent. Rends ton bonhomme aussi bizarre que possible, il n'en sera que plus amusant !

Fous rires assurés avec ces drôles de zigotos aux portes de grange ! Tu peux également faire des monstres !

Tête de martien

Voici un redoutable extraterrestre tout vert qui effraiera tes amis lorsqu'il bougera les oreilles.

5 Dessine un visage amusant entre les deux oreilles. Pour les yeux, tes repères sont les croix. Perces-y des trous avec la mine d'un crayon.

6 Si tu es content de ton dessin, il ne te reste plus qu'à le peindre à ton goût. N'oublie pas les oreilles ! Laisse sécher toute la nuit.

C'EST LE PIED !

Le papier à en-tête, c'est cher. Alors pourquoi ne pas créer le tien et le décorer de ton propre logo ? Par exemple, les empreintes, c'est le pied !

Fabrication

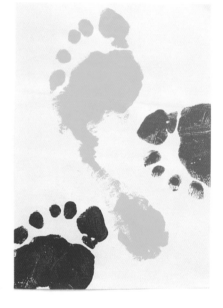

Fournitures

Carton et papiers blancs

Peinture   Enveloppes blanches

Monsieur Bricolo
Avant de te lancer dans ces travaux amusants mais salissants, mieux vaut demander la permission ! Si tu peux le faire dehors, c'est encore mieux.

1 Étale des journaux sur le sol et places-y une feuille de papier. Trempe ton pied dans la gouache, puis pose-le sur la feuille.

Pour donner un petit air original, presse ton pouce enduit de peinture plusieurs fois.

2 Regarde les différentes empreintes que tu peux obtenir suivant la position du pied. Trempe-le dans différentes couleurs.

Exemples de tampons découpés dans du carton.

3 Le chic du chic, c'est d'avoir les enveloppes assorties à ton papier à lettres. Répète les étapes 1 et 2 mais remplace les pieds par les mains ! Étale-les bien sur l'enveloppe.

4 Tu peux aussi fabriquer des tampons en carton pour décorer ton papier à lettres. Trempe-les dans la peinture. Applique-les sur ton papier ou ton enveloppe.

Résidence Vadeboncoeur
66, rue du Lac
Bois-des-Érables
M4C 3J4

1er juin 2004

Chers grands-parents,

J'espère que vous allez bien tous les deux. J'ai passé une excellente fin de semaine à Bois-des-Érables. Il faisait beau et nous avons passé toute la journée à la plage. J'ai construit un château de sable géant !

L'eau du lac était encore trop froide pour se baigner. Nous nous sommes juste trempés les orteils! Samuel et moi sommes allés pêcher des crapets-soleil et des barbottes.

Je vous embrasse bien fort,

Vincent

Pour avoir un motif plus sophistiqué, imprime juste une partie de ton pied : un quart par ci, un quart par là. Et varie les couleurs.

Monsieur Bricolo
Pour les tampons, colle au dos de chacun un petit bout de scotch tape, cela t'évitera de te mettre de la peinture plein les doigts.

Les pieds dans le plat
Maintenant que ton papier à en-tête est terminé, il ne te reste plus qu'à écrire une jolie lettre. Un petit mot à la famille pour leur raconter tes vacances... ou peut-être que c'est le moment idéal pour reprendre contact avec un bon ami qui vient de déménager.

Monsieur Pierre Grignon-Lafleur
23, rue du Lac-Noir
Ste-Solange-des-bois
J4R 3Z1

Attention ! Note bien la bonne adresse.

Lancer de ballons
Quelle bonne idée ! Tes empreintes de pouce vont devenir des ballons. Fais-en de différentes couleurs. Il ne te reste plus qu'à dessiner une petite ficelle dessous.

N'oublie pas d'assortir les enveloppes au papier.

COULEURS MAGIQUES

As-tu déjà remarqué que certaines couleurs donnent une teinte chaleureuse à tes dessins tandis que d'autres rendent l'atmosphère glacée ? À toi d'essayer, et à l'attaque !

Fournitures

Papier noir

Craies de couleur

Craie blanche

Monsieur Bricolo

La meilleure façon de s'y retrouver dans les couleurs, c'est de les classer en termes de saison. Fais-toi un petit nuancier sur papier noir des teintes chaudes et froides que tu possèdes.

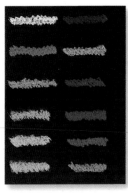

Sur ton nuancier, les couleurs froides sont en haut de la feuille et les teintes chaudes en bas.

Fabrication

1 Dessine une scène en utilisant des «couleurs chaudes». Pense aux belles teintes rouges, jaunes et orangées du soleil et du feu. Commence par dessiner à la craie jaune les contours d'un salon où brûle un super feu de cheminée.

2 Ajoute des teintes orangées et blanches à ton dessin. Ces couleurs donneront de la vie au feu et illumineront l'atmosphère. Avec ton doigt, étale les couleurs du feu, comme pour répandre la chaleur.

3 Complète avec de beaux rouges. Tu peux ainsi augmenter l'intensité du feu de quelques coups de craie rouge et, ensuite, meubler la pièce : des rideaux, une lampe. Plutôt accueillant, non ?

4 Utilise les couleurs froides d'hiver pour la fenêtre : des blancs neigeux, des bleus glacials et des verts pâles. Cela, c'est dehors ! Regarde maintenant la différence entre les teintes chaudes et froides.

Scène d'hiver

Même sur fond noir, ton dessin dégage une impression de chaleur. C'est le contraste entre les couleurs chaudes, à l'intérieur de la maison, et froides, à l'extérieur, qui donne ce cachet hivernal à la scène.

Le nuancier

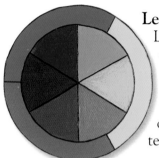

Le rouge, le jaune et le bleu sont des couleurs primaires. En les mélangeant, on obtient toutes les teintes.

Ce sont les couleurs d'hiver qui suggèrent le froid qu'il fait dehors.

Scène d'automne

Pour dessiner une scène d'automne, inspire-toi de la couleur des parcs à l'automne : les feuilles rousses des arbres, les différents jaunes et bruns, les dégradés d'orangé et de rouge.

Scène d'été

Pour une ambiance d'été, utilise d'abord des couleurs fortes et vives pour rendre la lumière éblouissante du soleil. Puis ajoute des couleurs primaires pour illuminer la scène.

Scène de printemps

Au printemps, les couleurs évoquent la fraîcheur : les bourgeons roses, le jaune des jonquilles, le vert tendre du feuillage et le bleu clair du ciel. Utilise-les pour ta scène de printemps.

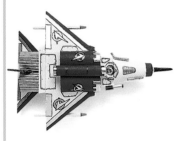

SUPERSONIQUE

Que ce soient les navettes spatiales des jeux vidéo ou les fusées des films de science-fiction tout commence par une maquette. Laisse aller ton imagination et réalise ton propre modèle.

Fabrication

Fournitures

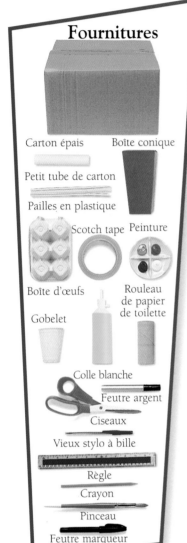

Carton épais — Boîte conique

Petit tube de carton

Pailles en plastique

Scotch tape — Peinture

Boîte d'œufs — Rouleau de papier de toilette

Gobelet

Colle blanche

Feutre argent

Ciseaux

Vieux stylo à bille

Règle

Crayon

Pinceau

Feutre marqueur

Trace une ligne pour relier les deux ailes.

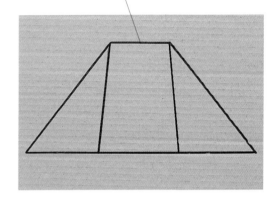

1 Prends la boîte conique et pose-la sur un bout de carton épais. Dessine deux larges ailes de forme triangulaire de chaque côté de la boîte.

2 Enlève la boîte et trace une ligne en haut pour relier les deux ailes. Découpe le tout soigneusement. En t'aidant d'une règle, plie les ailes le long de chaque ligne.

Coupe un autre rouleau de papier de toilette en deux. Colle les deux morceaux sous l'appareil comme tu l'as fait pour le dessus.

Pour donner une forme aérodynamique à la navette spatiale, colle le bouchon d'une bouteille en plastique (de liquide vaisselle par exemple), et par-dessus le bouchon d'un vieux stylo à bille.

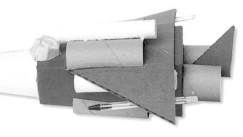

Entre ces deux moitiés de rouleaux, colle un petit tube de carton.

5 Coupe en deux, dans la longueur, un autre rouleau de papier de toilette. Colle chaque moitié sur le dessus de la navette, l'une à côté de l'autre, comme sur la photo.

6 Colle un petit tube de carton sous les ailes. Colle aussi deux vieux stylos. Découpe une alvéole de boîte d'œufs et colle-la pour faire le cockpit.

Sers-toi d'une règle pour faire la pliure le long des deux ailes de la navette. Celle-ci s'adaptera à la forme de la boîte.

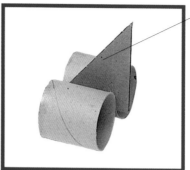

Pour fabriquer la queue et les réacteurs arrière, découpe un rouleau de papier de toilette en deux. Glisse au milieu un petit triangle de carton. Colle le tout ensemble avec de la colle blanche.

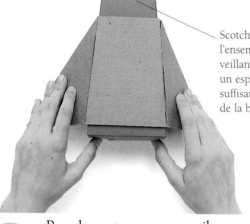

Scotche bien l'ensemble en veillant à laisser un espace suffisant en haut de la boîte.

Voilà la base de ta navette. Si tu veux la transformer en super machine spatiale, ajoute d'autres accessoires, comme des bouts de plastique et du carton de toutes les formes possibles et imaginables !

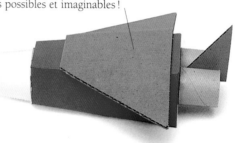

3 Pose le carton avec ses ailes par-dessus la boîte conique. Place les ailes de manière à ce qu'elles puissent s'incliner vers le bas. Scotche-les bien.

4 Scotche un gobelet en plastique en haut de la navette pour faire le nez. À l'arrière de l'appareil, ajoute la queue et les deux réacteurs. Scotche-les fermement.

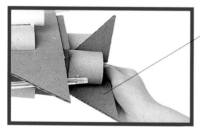

Coupe un triangle de carton et colle-le sous les réacteurs arrière.

Tu peux peindre la navette spatiale de la couleur qui te plaît. Tout est permis. Et c'est toi le commandant !

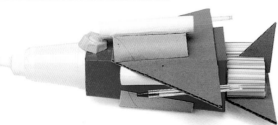

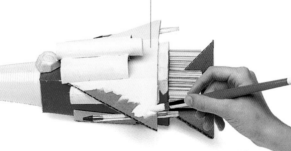

7 Coupe des pailles de la longueur des réacteurs arrière. Dispose-les et colle-les tout autour des rouleaux de carton. Il faut que tout soit parfaitement collé avant de peindre.

8 Peins maintenant la navette. Utilise un feutre argent pour les hublots et les réacteurs, de la gouache ou de la peinture acrylique pour le reste. Passe une couche de colle blanche pour fixer la peinture au plastique.

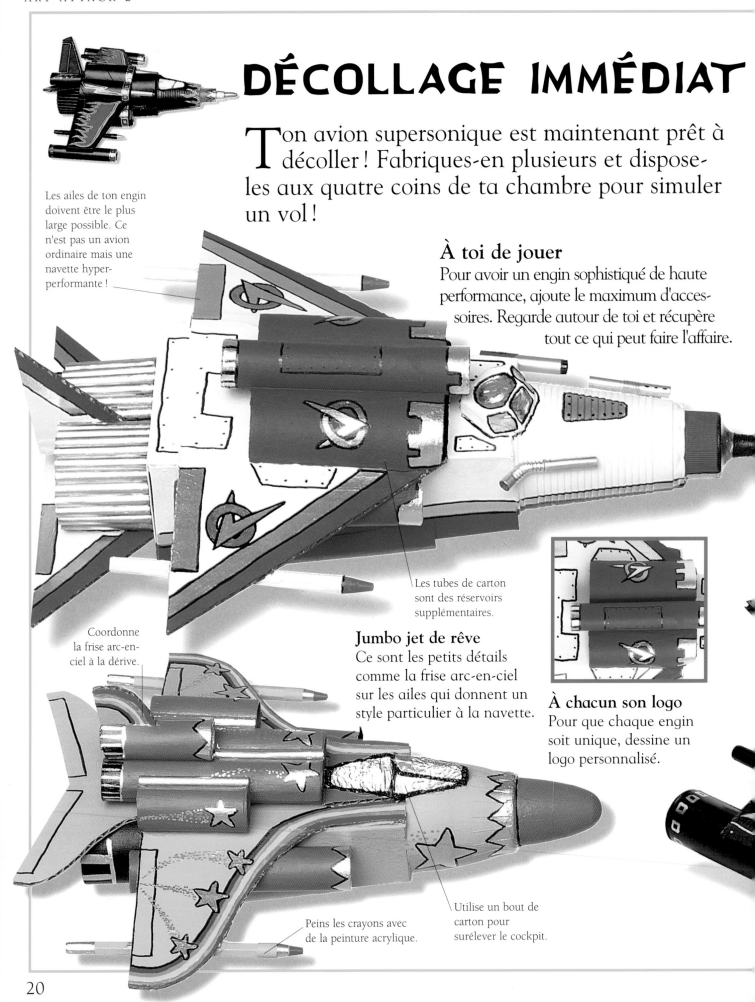

DÉCOLLAGE IMMÉDIAT

Ton avion supersonique est maintenant prêt à décoller ! Fabriques-en plusieurs et dispose-les aux quatre coins de ta chambre pour simuler un vol !

Les ailes de ton engin doivent être le plus large possible. Ce n'est pas un avion ordinaire mais une navette hyper-performante !

À toi de jouer
Pour avoir un engin sophistiqué de haute performance, ajoute le maximum d'accessoires. Regarde autour de toi et récupère tout ce qui peut faire l'affaire.

Les tubes de carton sont des réservoirs supplémentaires.

Jumbo jet de rêve
Ce sont les petits détails comme la frise arc-en-ciel sur les ailes qui donnent un style particulier à la navette.

Coordonne la frise arc-en-ciel à la dérive.

À chacun son logo
Pour que chaque engin soit unique, dessine un logo personnalisé.

Utilise un bout de carton pour surélever le cockpit.

Peins les crayons avec de la peinture acrylique.

Patrouille

Dès que tu as fabriqué plusieurs engins, rien ne t'empêche de les faire virevolter dans le ciel ou de les entraîner pour un vol groupé. Seront-ils ennemis ou voleront-ils ensemble ?

Laisse sécher entre chaque couche de peinture.

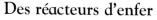

Des réacteurs d'enfer

Quelques touches de peinture rouge et orangée vives, et voilà les réacteurs qui crachent des flammes !

Super Tornado

N'oublie pas que tu crées ta propre compagnie aérienne. Ce sont donc tous les détails et les accessoires personnels qui donneront à ta flotte un style unique.

Des motifs flamboyants sur la carlingue donnent à l'engin un air kamikaze !

Ne jette pas les bouchons des vieux stylos : ils feront de superbes capteurs aérodynamiques à l'avant de l'appareil.

Monsieur Bricolo

La base de ton engin de vol est la boîte conique. Après, tu es libre d'ajouter ce que tu veux. Tout est permis et, surtout, «Bon vol !».

Une fois la peinture sèche, ajoute les derniers détails au feutre marqueur.

Sers-toi de tes feutres dorés et argentés pour montrer que la carlingue est en acier.

LIVRE D'OR

Si les vieux manuscrits mystérieux t'intéressent, tu peux transformer n'importe quel cahier d'école en un merveilleux journal pour y consigner tes aventures et tes secrets.

Fournitures

Cahier d'école et chiffon

Papier de toilette

Mélange de colle

Cirage

Peinture

Crayon

Pinceau

Feutre marqueur

Fabrication

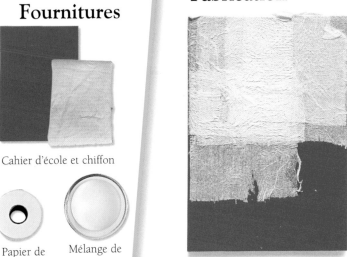

Mets plusieurs couches de papier de toilette pour que la couverture soit parfaitement recouverte.

1 Choisis un cahier à couverture rigide. Recouvre cette couverture de plusieurs couches de papier de toilette. Avec un pinceau, recouvre ensuite le papier de mélange de colle. En absorbant la colle, le papier de toilette adhérera à la couverture.

2 Fais la même chose pour le dos et l'intérieur de la couverture. Dispose le papier et colle-le à l'intérieur (comme si tu couvrais un livre). Cela évitera que la couverture se gondole et s'effrite en séchant. Laisse sécher toute une nuit.

Sculpte avec tes doigts les petites bandes de papier enduites de mélange de colle pour leur donner une forme de ferrure.

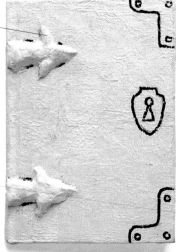

3 Ton livre est prêt pour la décoration. Pour lui donner l'air ancien d'un vieux manuscrit, dessine des ferrures sur les côtés. Enfin, pour faire comprendre que c'est un livre secret, dessine une serrure !

4 Une fois les ferrures dessinées, déchire des petites bandes de papier de toilette. Trempe-les dans la colle, puis essore-les et étale-les sur les ferrures pour créer un effet en relief. Laisse sécher.

Étale bien le cirage dans toutes les petites rainures avec un chiffon en coton fin.

La peinture dorée donne un style ancien aux ferrures.

5 Maintenant, peins la couverture avec de la gouache, de l'acrylique ou du cirage marron pour lui donner un aspect vieux cuir. Ne passe pas sur les ferrures.

6 Passe ensuite deux couches de peinture dorée sur les ferrures. Laisse sécher et finis en repassant le tour au feutre marqueur.

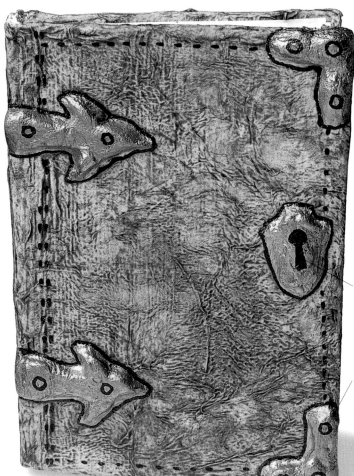

Top secret

Voici ton journal de bord, ton livre de secrets. La serrure en dit long sur le caractère hyper confidentiel : « Arrière, mains indiscrètes ! ».

Utilise le mélange papier et colle pour mettre en relief certains détails de ta couverture.

Peins le trou de la serrure en noir pour lui donner un air réel.

Ce sont les détails comme ces petits clous qui donnent un air ancien.

Livre d'artiste

À toi de créer le modèle de livre qui te convient, avec tes idées et ton style. Voici un cahier de croquis pour artiste peintre.

PORTRAIT CUBISTE

Pour les jeunes peintres en herbe, voici une expérience amusante : avec des équerres, des rapporteurs et des règles, réalise un portrait à la la craie tendance cubiste !

Fabrication

Fournitures

Papier blanc

Gomme

Boule de coton

Équerres, règle et rapporteur

Craies de couleur

Craie noire

Crayon

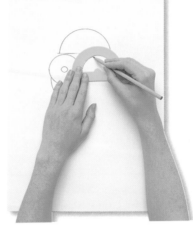

Selon que tu utilises le côté intérieur ou extérieur du rapporteur, tu obtiens deux cercles de taille différente.

1 En t'aidant du rapporteur et des équerres, compose un visage géométrique. Amuse-toi à les superposer et à les déplacer pour obtenir le meilleur résultat.

2 Quand tu es content de ton dessin, repasse sur les traits avec des craies ou des pastels de couleur. Enlève la poussière de craie en soufflant.

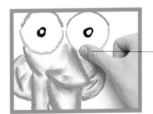

Sers-toi de ton pouce ou d'un autre doigt pour étaler la craie à l'intérieur des courbes.

Si tu préfères, sers-toi de tes doigts à la place du coton.

Utilise autant de couleurs que tu veux.

3 Colorie en étalant la craie du bout des doigts. Fais ressortir les traits avec une craie d'une teinte plus sombre. Travaille la couleur du bout des doigts pour donner un beau dégradé.

4 Repasse légèrement chaque trait avec un peu de craie noire. Étale-la avec le doigt. Avec une boule de coton, tamponne les excès de craies de couleur. Colorie le fond tout autour du bonhomme.

Drôles de créatures !

Avec les équerres et le rapporteur, tu peux créer une ribambelle d'énergumènes ! Mais l'idée, c'est de toujours utiliser une règle. Alors pas de tricherie ! Et n'oublie pas de souffler la poussière de ton dessin avant de l'accrocher au mur.

Pour faire une caricature, il faut exagérer les traits du visage, toujours en te servant de la règle. Regarde comme le menton est pointu.

Regarde les grandes oreilles de notre ami lapin en forme d'équerre. Génial, non ?

Les pattes ont été dessinées avec les côtés intérieurs et extérieurs du rapporteur.

Les lignes droites, associées à des angles coupants, lui donnent un air terrifiant !

Avec la pointe de l'équerre, tu peux dessiner ces horribles crocs !

Lapin loufoque !

Tu peux renforcer le côté étrange des dessins géométriques avec des couleurs bizarres. As-tu déjà rencontré des lapins verts et bleus avec des pattes mauves ?

Monstre géométrique

Avec tes instruments et leurs angles biscornus, tu peux dessiner un monstre. À toi de choisir la version tendre ou effrayante !

 Monsieur Bricolo
Récupère la poussière de craie pour colorer le fond autour de ton dessin.

T-SHIRTS BRANCHÉS

As-tu au fond de tes tiroirs quelques vieux t-shirts blancs ? Un peu d'imagination et quelques motifs tendance leur redonneront une seconde jeunesse !

Fabrication

Fournitures

T-shirt blanc et carton

Crayon

Feutre marqueur noir

Stylos marqueurs dorés et argentés

1 Place un bout de carton à l'intérieur du t-shirt. Tu dois obtenir une surface sans plis qui va te servir de support pour ton dessin.

2 Dessine ton motif au crayon. Tu peux toujours corriger et ajuster ainsi les traits jusqu'à ce que tu sois satisfait.

Tu peux dessiner le motif de ton choix.

3 Une fois que tu es content de ton dessin, repasse-le au feutre marqueur indélébile. Grâce au carton à l'intérieur, il n'y aura pas de bavures de feutre et le dessin ne traversera pas le t-shirt.

Attention à ne pas déborder à l'extérieur des contours noirs.

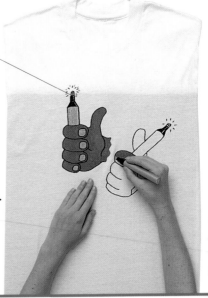

4 Colorie ton dessin en choisissant de la peinture acrylique, de la peinture à tissu, ou même du vernis à ongles. Le motif de ce t-shirt a été réalisé avec des stylos dorés et argentés.

Sur le pouce
Un motif simple, des feutres marqueurs, voici le t-shirt le plus facile et le plus rapide à réaliser !

Attention aux bavures des marqueurs ! Il faut y aller doucement !

La peinture à tissu est d'un usage facile et les couleurs s'appliquent bien.

Maya l'Abeille
L'avantage de la peinture à tissu, c'est que les couleurs sont belles et tiennent longtemps. Tu peux même faire quelques finitions au vernis à ongles à l'épreuve de l'eau !

Fais attention à bien centrer tes motifs de manière à ce qu'ils soient visibles lorsque tu portes ton t-shirt !

Voilà une super idée de cadeau d'anniversaire ! Tu peux personnaliser le motif pour un ami.

Et une fois terminé, pourquoi ne pas ajouter un petit extraterrestre dans le dos ?

Destination Lune
Voici un t-shirt parfait pour les astronautes en herbe ! Si tu as utilisé de la peinture acrylique, repasse avec un fer chaud l'envers du t-shirt pour fixer la couleur.

Monsieur Bricolo
Pour conserver des couleurs éclatantes, ne lave pas ton t-shirt à la machine. N'utilise pas de gouache ni de feutres normaux : le résultat ne serait pas très bon.

PERSPECTIVE À L'ŒIL !

Sais-tu que plus tu t'éloignes d'un paysage, plus l'horizon se fond dans un brouillard ? À toi de recréer ces perspectives !

Fournitures

Feuilles cartonnées noires, papier calque et carton fin

Ciseaux

Fabrication

1 Découpe une silhouette de chaîne de montagnes dans une feuille noire. Les sommets doivent presque atteindre le haut de la page. C'est cela qui donnera la perspective au paysage. Ensuite, place la silhouette sur le carton blanc et fin.

2 Découpe du papier calque de la même dimension que la feuille noire. Place-le sur les montagnes. Le calque doit les recouvrir complètement. Regarde comme les montagnes semblent être dans une brume lointaine !

Monsieur Bricolo
Il faut que la première silhouette découpée couvre les 3/4 de la page. Les suivantes doivent être progressivement plus petites pour bien se superposer les unes aux autres. C'est cela qui donne la profondeur et la perspective.

3 Découpe des silhouettes d'arbres dans une feuille noire. Pose-les sur le calque : les montagnes s'éloignent tandis que les arbres se rapprochent. Les papiers superposés donnent cette profondeur au paysage.

4 Recouvre les arbres d'une autre feuille de papier calque. Découpe dans du papier noir la silhouette d'une maison en haut d'une colline. Ici, tu auras trois plans successifs. Les montagnes sembleront encore plus lointaines !

Paysage lointain

Couvre la feuille d'une nouvelle couche de calque. Dessine une barrière avec un petit mur, puis découpe-les et place-les sur la feuille. La chaîne de montagnes semble à des centaines de kilomètres! Et en regardant par la barrière, on obtient une belle perspective.

En superposant des couches successives de papier et de papier calque, tu donneras de la profondeur à ton paysage.

Attends que chaque couche soit bien sèche avant de commencer la phase suivante.

Désert américain

Tu peux créer une superbe perspective avec une image peinte à la peinture à l'eau. Fais un beau dégradé à partir d'une couleur. Pour ce fond orange pâle et brumeux, dilue la peinture avec beaucoup d'eau. Une fois sec, passe à la phase suivante en accentuant davantage la couleur, et ainsi de suite. Enfin, peins les petits détails à l'orange pur. En reculant, tu contempleras un paysage avec des formes nettes en premier plan et d'autres plus floues en fond.

C'est au premier plan que la couleur est la plus foncée.

Plus les montagnes s'éloignent, plus leurs couleurs pâlissent.

Dessine le premier ballon plus bas que l'autre.

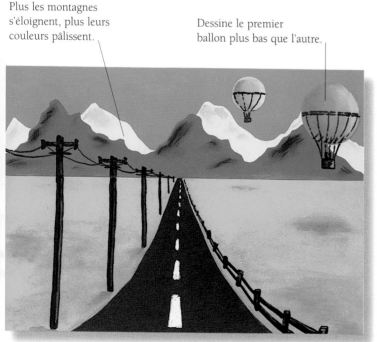

Paysage en 3D

Tu as compris que pour obtenir une perspective, plus un élément est loin, plus le dessin est petit. Inspire-toi de cette route qui «rétrécit» au loin. Ajoute des poteaux électriques et une clôture le long de la route pour renforcer cette idée de distance et de fond. Dessine deux ballons de taille différente pour donner l'impression d'un premier et d'un second arrière-plan. Maintenant, regarde! N'as-tu pas l'impression que cette route n'en finit pas?

CARTE "POP-UP"

Voici une carte facile à réaliser et qui fera bien meilleur effet qu'une carte achetée à la papeterie du coin. Tes amis adoreront !

Fabrication

Fournitures

Papier à dessin

Peinture

Règle

Ciseaux

Pinceau

Crayon

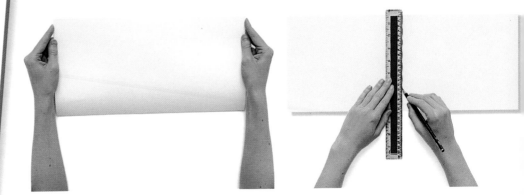

1 Prends une feuille à dessin et plie-la soigneusement en deux, comme sur la photo. Plie-la à nouveau en deux de manière à juxtaposer le côté droit au gauche. Tu dois obtenir un format de type carte d'anniversaire.

2 Ouvre la carte en deux. Trace un trait au crayon le long de la pliure centrale. Ce trait te servira à repérer l'intérieur de la carte. Tu devras l'effacer avant de commencer à peindre.

Avant de couper la ligne, fais un trait à la règle pour te repérer.

3 Ouvre la carte à l'intérieur. Le long de la pliure, mesure la longueur puis divise-la en quatre. Fais une petite marque au crayon sur le premier quart et découpe à partir de cette marque, jusqu'au milieu de la carte.

4 Rabats les deux bouts en forme de triangles. Appuie bien sur la pliure. Fais coïncider les angles, puis déplie ces angles. Retourne la carte et fais la même chose de l'autre côté.

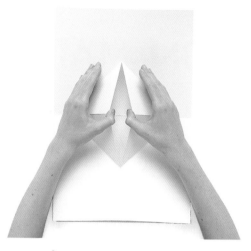

Attention ! En refermant la carte, appuie fermement de manière à laisser les coins ouverts.

Commence ton dessin par la bouche, puis dessine le corps.

5 Ouvre la feuille de papier. Plie-la le long de la ligne tracée au crayon. Attention ! La ligne de crayon doit être à l'intérieur de la carte. Mets ton pouce dans la fente et fais sortir les triangles. Ferme la carte en maintenant les coins ouverts.

6 Ouvre la carte dans le bon sens. La fente doit être horizontale, puisque c'est une bouche. Autour de cette ouverture, dessine quelque chose de simple, comme une grenouille.

Glouglou
Ce joli poisson à l'énorme bouche rose est parfait pour une carte en «pop-up» !

Histoire de fantôme
Voici une carte parfaite pour l'Halloween. Des couleurs sombres, un fond bien noir et le tour est joué !

Grande gueule !
Il ne te reste plus qu'à dessiner avec de belles couleurs vives un paysage pour la grenouille, sans oublier de peindre l'intérieur de la gueule de l'animal. Voilà une carte d'anniversaire originale qui ravira les amis !

Si tu coupes davantage la ligne (étape 3), la bouche s'agrandira.

PORTE-CRAYON MALIN

De la pâte à modeler, un peu de peinture et de l'imagination, voilà ce qu'il faut pour créer ce drôle de porte-crayon et exposer tes plus beaux stylos !

Fabrication

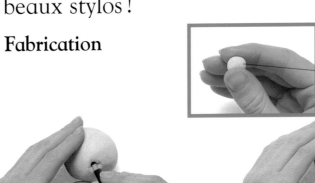

Pour le nez, forme entre tes doigts une petite boule de pâte.

Fournitures

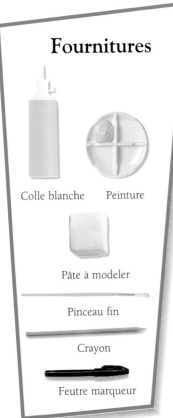

Colle blanche   Peinture

Pâte à modeler

Pinceau fin

Crayon

Feutre marqueur

1 Fais une boule de pâte à modeler en la roulant dans la paume de tes mains. Perce un trou assez profond au centre en te servant de la mine d'un crayon.

2 Enfonce le nez sur la grosse boule de manière à ce qu'il reste bien en place. Puis perc... deux trous pour les yeux avec... la mine d'un crayon.

Attention, vérifie que rien ne manque à ton bonhomme et que les trous sont bien en place avant que la pâte à modeler sèche pendant la nuit.

 Monsieur Bricolo
Il vaut mieux utiliser de la pâte à modeler qui durcit automatiquement en séchant. Elle s'achète dans les magasins spécialisés.

Passe bien ton pinceau partout, y compris dans tous les trous.

Dessine la bouche en appuyant avec la mine d'un crayon.

3 Dessine une bouche avec un crayon. Fais un trou de 3 cm sur le côté en appuyant sur le crayon tout en le faisant tourner dans le trou.

4 Laisse sécher ton bonhomme toute la nuit, puis peins-le. Attention à bien répartir la peinture, particulièrement da... les petits creux. Laisse sécher...

Un sacré bonhomme !

Lorsque la peinture est sèche, passe une couche de colle blanche sur tout ton bonhomme pour durcir encore la pâte. Ne t'inquiète pas de l'aspect blanchâtre que laisse la colle. En séchant, le blanc s'estompe pour finalement donner un joli brillant transparent. Maintenant, il ne te reste plus qu'à mettre ton plus beau stylo dans ce porte-crayon tout sourire !

Enfonce bien les yeux pour donner un air effrayant à ta tête de mort !

Attention en perçant la cavité ! Il ne faut pas que les crayons se touchent.

Fais les finitions comme la bouche et les yeux au feutre marqueur.

Petit cochon !

Avec la pâte à modeler, tout est permis. Tu peux créer l'animal que tu veux, ou n'importe quelle créature, par exemple un extraterrestre ou une princesse !

Pour les oreilles, façonne entre tes doigts des petits triangles de pâte et recourbe-les.

Tête de mort !

Ce charmant porte-crayon est constitué de deux morceaux de pâte, l'un pour la base, l'autre pour la tête. Les crayons font office d'os !

Attention ! Il faut que les trous soient suffisamment profonds pour pouvoir maintenir les crayons.

Pour la queue en tire-bouchon, fais un petit boudin de pâte toute fine et forme la queue en tire-bouchon.

Monsieur Bricolo

Voici une super idée de cadeaux pour ta famille et tes amis ! C'est facile et amusant à réaliser. Tu peux fabriquer une multitude de porte-crayons différents et les personnaliser pour les amis de ton choix.

Hérisson piquant

Ce hérisson a plus d'un piquant sur le dos et il peut porter une dizaine de crayons. Alors, à toi de faire le maximum de trous. Ranges-y tes plus jolis crayons de couleur; ils auront fière allure sur ton bureau.

MASQUE DE CARNAVAL

Voici de quoi briller à la prochaine fête. Déguisé et masqué, en avant pour le carnaval !

Fabrication

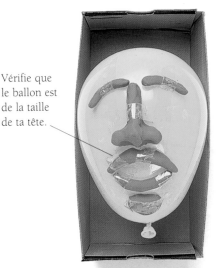

Vérifie que le ballon est de la taille de ta tête.

Fournitures

Petite boîte en carton

Papier de soie de couleur

Pompe à ballon

Ballon

Mélange de colle

Pâte à modeler

Épingle

Scotch tape

Ciseaux

Pinceau

1 Gonfle un ballon. Place-le dans la boîte. C'est la base sur laquelle tu vas travailler pour fabriquer ton masque.

2 Fais la bouche, le nez, les sourcils et le menton avec de la pâte à modeler. Fixe-les avec du scotch tape.

Monsieur Bricolo
Attention ! Les bandes de papier de couleur doivent être assez longues pour créer une frange tout autour du masque.

3 Coupe des bandes de papier de soie de différentes couleurs. Colle-les au ballon avec ton mélange de colle. Tu dois recouvrir toute la surface.

4 Superpose plusieurs couches successives de papier et de colle. Après une nuit de séchage, le papier sera dur et brillant.

Carnaval de Venise

Il ne te reste plus qu'à enlever délicatement le ballon et la pâte à modeler. Le masque est devenu dur, multicolore, et prêt à orner le mur de ta chambre.

Regarde ! Les sourcils et les traits du visage sont en relief.

Tu n'as plus besoin du ballon. Perce-le avec une épingle. Attention au bruit !

Tu peux créer un superbe dégradé de couleurs en faisant une frange multicolore.

Version disco

Tu peux décorer ton masque de mille et une façons. Celui-ci a été saupoudré de paillettes et enjolivé d'une couronne de rubans en papier de soie de couleurs vives.

Utilise des paillettes de différentes couleurs pour la bouche et les yeux.

Fais d'abord un petit trou avec la pointe d'un crayon pour percer avant d'introduire la lame des ciseaux.

Roi Soleil

Avec les ciseaux, pratique de petites ouvertures à l'endroit des yeux pour y voir, et au niveau du nez et de la bouche pour respirer. Tes amis ne te reconnaîtront pas. Majestueux, non ?

35

C'EST LE BOUQUET !

Plus besoin de se ruiner chez le fleuriste ! Voici de belles fleurs en 3D qui donneront un petit air champêtre à ta chambre !

Fournitures

Feuilles cartonnées de couleur

Bâton de colle   Scotch tape

Ciseaux

Feutre marqueur

Fabrication

Attention aux ciseaux ! Utilise-les avec précaution !

Coupe six autres feuilles semblables dans du papier de couleur vive.

1 Sur une feuille verte, dessine une feuille de fleur en commençant par tracer la nervure en forme de « S » allongé, juste au milieu.

2 Prends tes ciseaux et colle des petits bouts de scotch tape au bout des lames. Sers-t'en pour creuser le papier à l'endroit de la nervure, sans déchirer.

Le papier se courbe légèrement le long de la nervure créant ainsi l'effet 3D.

Fais une découpe dans le rond, comme un rayon de roue. Dépose un filet de colle sur un des bords intérieurs. Assemble les deux bords pour que le cœur de la fleur prenne la forme d'un cône.

3 Découpe les feuilles et trace un creux le long de la nervure. Dessine des tiges en « S ». Découpe-les et marque aux ciseaux le pli de la ligne centrale.

4 Pour le cœur, découpe un rond dans une feuille d'une autre couleur. Place la tige sur une feuille. Pose le cœur de la fleur au sommet de la tige, une fois qu'il est formé en cône.

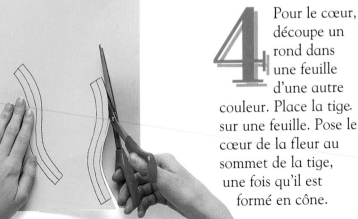

À chacun son truc !

À toi de créer une fleur originale avec des pétales aux formes amusantes. Et puis d'une fleur, tu peux faire un bouquet en mélangeant savamment plusieurs fleurs avec de belles couleurs. C'est tout le talent d'un fleuriste !

La nervure des pétales donne un effet 3D saisissant.

Ajoute quelques petits détails au feutre, comme les oiseaux dans le ciel.

L'île déserte en 3D

Pourquoi ne pas créer une scène à la « Robinson Crusoé » avec un paysage en relief ? Une île déserte, des cocotiers courbés sous le soleil, la mer bleue et ses vagues qui ondulent, des oiseaux qui volent dans le ciel, des dunes arrondies… le paradis en 3D !

Choisis des couleurs qui se marient bien.

Tu peux faire des pétales de différentes formes.

5 Inspire-toi de la fabrication des feuilles pour confectionner des pétales. N'oublie pas de passer les bouts des ciseaux sur la nervure. Assemble les pétales, les feuilles, la tige et le cœur sur ta feuille.

Attention à ne pas aplatir les pétales en les collant !

6 Quand ton arrangement floral te convient, passe un filet de colle sur le côté des pétales et des feuilles. Attention à ne pas les aplatir : ils doivent garder leur forme 3D.

ART DISCO

De la colle, encore de la colle et des paillettes ! Ça étincelle comme un feu d'artifice et ça brille comme une nuit étoilée !

Fournitures

Papier de couleur

Paillettes

Colle blanche   Gomme   Cotons-tiges

Crayon

Tu peux mélanger les paillettes. Par exemple de l'argent, du rouge et du doré pour faire du rose.

Fabrication

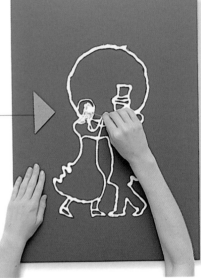

Garde le petit bout de carton pour le réutiliser sur les surfaces larges.

1 Sur une feuille de couleur ou sur du carton fin, dessine une petite scène au crayon. Recouvre de colle les endroits que tu veux couvrir de paillettes. Attention aux bavures !

2 Découpe un petit bout de carton pour bien étaler la colle sur les surfaces larges. Pour les petits recoins et les lignes, utilise un coton-tige.

Ton rose tirera vers le violet si tu ajoutes des paillettes bleues.

3 Fais ton choix de couleurs. Saupoudre les paillettes aux endroits correspondants avant que la colle ne sèche. Couvre bien toutes les zones collées. Ce n'est pas grave si des paillettes tombent à côté des zones collées.

4 Laisse la colle sécher et absorber les paillettes. Une fois sec, secoue le dessin au dessus d'un vieux journal pour le débarrasser du trop plein de paillettes. Attention, pense à protéger la surface sur laquelle tu travailles !

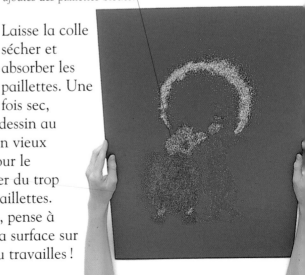

En piste !

Le papier foncé met encore plus en valeur les danseurs en paillettes qui virevoltent dans leurs habits étincelants. Tu peux faire une version plus disco.

Baisse la lumière et tu verras comme tes danseurs brillent dans l'obscurité !

N'hésite pas à utiliser des couleurs contrastées, comme ce bleu foncé et ce rouge vif.

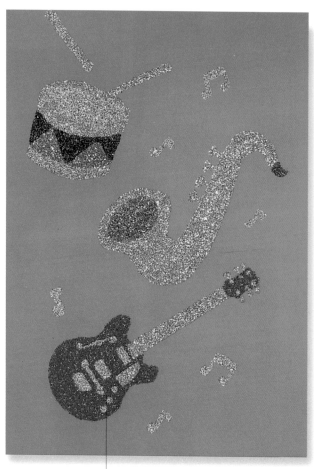

Soigne bien les petits détails et mets-les en valeur en utilisant des couleurs différentes.

Ça brille !

Et pourquoi ne pas faire une scène musicale un peu *funky* ? Dessine tes instruments de musique préférés avec autour des notes de musique ! On s'y croirait presque !

Sous les tropiques

Tu peux faire plusieurs dessins avec des paillettes pour donner un peu de vie aux murs de ta chambre ! Ce perroquet dans la jungle verdoyante a l'air de sortir tout droit de la forêt tropicale !

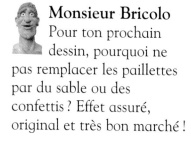 **Monsieur Bricolo**
Pour ton prochain dessin, pourquoi ne pas remplacer les paillettes par du sable ou des confettis ? Effet assuré, original et très bon marché !

PEINTURE NOCTURNE

As-tu essayé de peindre dans une pièce noire ? Installe-toi et laisse une raie de lumière pénétrer dans la pièce. Ouvre grands les yeux !

Fabrication

Fournitures

Papier noir

Craie blanche

1 Installe-toi dans ta chambre. Éteins la lumière mais laisse la porte entrebâillée. Dessine à la craie blanche, sur le côté gauche d'une feuille de papier noire, la raie de lumière qui passe par la porte.

2 Pour bien reproduire cette raie de lumière sur ton dessin, étale avec ton doigt un peu de craie en faisant des petites rayures. Observe bien le sens de ces rayons de lumière.

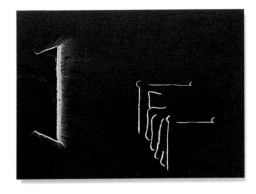

Monsieur Bricolo
Pour réussir ton dessin, regarde d'où vient la lumière. Entraîne-toi en t'installant près d'une lampe avec une feuille et un crayon. Observe comment la lumière tombe et éclaire un objet, et détermine les zones d'ombre.

3 Maintenant, observe bien comment la lumière illumine les meubles et dessine-la. Tu ne peux voir qu'un côté des choses éclairées. Commence par les objets situés près de la porte.

4 Pour adoucir les traits et bien reproduire le mouvement, étale la craie avec le doigt sur les courbes des draps et du lit. Il faut toujours étaler la craie dans le sens contraire de la lumière.

Lumière nocturne

Dessine les meubles qui se trouvent dans ta chambre. Vérifie bien les ombres et la lumière. Tu peux évaluer la lumière en entrebâillant un peu la porte pour observer ce qui se trouve dans la semi-obscurité et ce qui est éclairé.

Laisse les zones d'ombre. Ne dessine que ce que la lumière éclaire.

La nuit, tous les chats sont gris

L'autre façon de représenter le contraste entre lumière et obscurité, c'est de dessiner les ombres ! Pour voir ces zones d'ombre, il faut regarder les endroits que la lumière n'atteint pas. Prends une feuille de couleur foncée et de la craie. Esquisse une rue de nuit avec un réverbère. Observe avec attention et colorie les zones d'ombre. Ici, c'est sur le côté droit de l'homme et sur le mur, jusqu'à mi-hauteur.

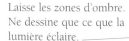

Pour dessiner un réverbère allumé, étale au doigt un peu de craie blanche.

Pour bien représenter la perspective, dessine les arbres au loin de plus en plus petits.

Paysage lunaire

Dessine à la craie blanche une lune et quelques nuages cotonneux, et à la craie noire la silhouette des arbres. Du côté non éclairé, noircis-les pour représenter l'ombre. Du côté où la lune brille, dessine en blanc les reflets de lumière. Rajoute sur le sol l'ombre des arbres. Admire maintenant ce paysage lunaire sous cette lumière irréelle !

TROMPE-L'ŒIL

Voici un cadre trompe-l'œil à fabriquer avec du faux bois et du faux verre. De quoi ravir les petits blagueurs et tous les fans de 3D !

Fabrication

Fournitures

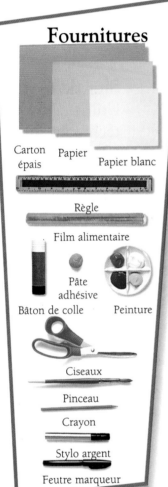

Carton épais
Papier
Papier blanc
Règle
Film alimentaire
Pâte adhésive
Bâton de colle
Peinture
Ciseaux
Pinceau
Crayon
Stylo argent
Feutre marqueur

1 Place une feuille de papier au milieu d'un rectangle de carton. Avec une règle, trace un trait au crayon tout autour de cette feuille.

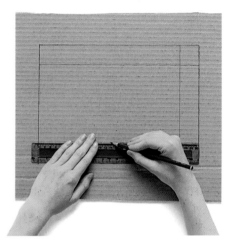

2 Place ta règle en bas du rectangle, à l'intérieur, le long de la ligne. Trace un trait au crayon. Renouvelle l'opération sur les trois autres côtés pour obtenir un cadre rectangulaire.

Monsieur Bricolo
Pour que les deux côtés du cadre soient parfaitement collés, improvise une presse : pose une pile de livres sur le cadre pendant toute une nuit.

5 Presse les cadres l'un contre l'autre, de manière à ce que le film alimentaire soit pris entre les deux, un peu comme un sandwich. Si le plastique dépasse, attends que ce soit sec pour le couper.

6 Pendant que ton cadre sèche, pense à une image que tu aimerais reproduire. Entraîne-toi à la dessiner sur du papier brouillon. Il faut que la scène soit simple, avec juste quelques objets.

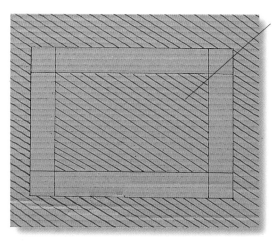

Pour découper facilement l'intérieur, fais un petit trou avec la pointe d'un crayon avant d'introduire la lame des ciseaux.

Étire les bords et aplatis-les avec les doigts.

Attention, prends ton temps ! Il faut que le plastique soit bien lisse.

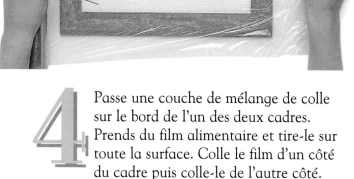

3 Tu dois obtenir un cadre de format lettre avec un bord qui doit être de la même largeur que ta règle. Découpe-le. Prends un autre rectangle de carton et fais un deuxième cadre identique.

4 Passe une couche de mélange de colle sur le bord de l'un des deux cadres. Prends du film alimentaire et tire-le sur toute la surface. Colle le film d'un côté du cadre puis colle-le de l'autre côté. Le plastique doit être parfaitement lisse.

Pour imiter le bois, dessine de fausses rainures. Tu peux aussi ajouter de fausses vis avec un marqueur argent.

7 Place le dessin sous le cadre couvert de plastique. Repasse au feutre noir chaque trait du dessin que tu vois en transparence. Tu peindras le reste plus tard.

8 Peins ensuite l'image avec de la peinture acrylique ou de la gouache mélangée à un peu de liquide vaisselle, cela facilite l'adhérence au film alimentaire. Soigne les finitions, elles donneront du réalisme à la scène.

EFFETS SPÉCIAUX

Pour réaliser les effets spéciaux de ce cadre à la vitre magique, dessine tout simplement trois images et superpose-les les unes aux autres. Admire l'effet 3D !

Sur la première image, dessine le décor au loin et remplis tout l'espace de la page.

Pour créer une ambiance de nuit, peins une scène sombre avec des lumières jaunes qui brillent et un croissant de lune.

N'oublie pas que le film alimentaire est très fin. Attention à ne pas le percer en coloriant et en peignant l'image !

Pour que l'image ressorte bien, fais les finitions au feutre marqueur noir.

L'image intermédiaire ne doit être peinte que jusqu'en milieu de page pour ne pas cacher l'image du fond et son décor.

Nocturne

Une fois que les images sont peintes séparément, assemble-les l'une sur l'autre dans le bon ordre. Maintenant, recule-toi et admire cette étonnante fresque en 3D ! Si tu te sers de pâte adhésive pour l'assemblage, tu peux t'amuser à changer l'ordre des images, histoire de voir l'effet et de sonder les mystères de la 3D !

Choisis un jaune bien vif pour donner l'impression que le réverbère éclaire la rue.

Peins seulement une ou deux choses de manière à ce qu'elles se détachent bien en premier plan.

Tu peux peindre ce qui te plaît.
Mais pourquoi ne pas t'inspirer
d'une scène près de chez toi ?

Une image au premier plan peinte
dans des couleurs vives se détachera
bien sur une scène de nuit sombre.

Un mouton, deux moutons... !

Essaie de superposer
quatre ou cinq images
ensemble. Tu pourras alors
exposer dans ta chambre
un cadre impressionnant !

Monsieur Bricolo

Encore une fois, fais
bien attention si tu
utilises un crayon à bille
pour dessiner. Le film
alimentaire est très fin et
peut se percer.

SURPRISE, SURPRISE !

Dans le genre farce et attrape, voici une carte amusante qui ravira tes amis ! On l'ouvre, et surprise, l'image s'est transformée !

Fabrication

Fournitures

Papier ou feuille cartonnée

Gomme

Peinture

Règle

Pinceau

Crayon

Feutre marqueur

1 Prends du papier ou une feuille cartonnée de couleur blanche. Avec ta règle, divise-la en trois parties. Trace un trait du côté droit. Plie la feuille le long du trait.

2 Sur la feuille pliée, dessine une image au centre, à l'endroit où se trouve la pliure. Tu auras ainsi la moitié du bonhomme du côté droit et l'autre du côté gauche.

Commence par dessiner la scène de départ, côté gauche. Tu feras la scène surprise après.

Monsieur Bricolo
Si tu dessines quelque chose de simple, de style dessins animés, la surprise marchera sans problème !

3 Ouvre ensuite le volet de la carte et continue ton dessin à l'intérieur du pli. Ajoute un bout de scène amusante et surprenante, comme un nouvel épisode.

4 Une fois ton dessin terminé, passe à la phase peinture. Occupe-toi des trois volets et utilise de belles couleurs vives pour les égayer.

Quelle peur !

En ouvrant ta carte, voilà qu'un requin surgit dans cette paisible scène de pêche. Il ne te reste plus qu'à l'envoyer à un ami. Peur garantie !

Tu peux faire changer de tête à ton bonhomme chevauchant les deux volets. Peins deux visages différents, l'un paisible quand la carte est fermée, l'autre terrorisé par le requin quand la carte est ouverte.

Attention au taureau !

On voit d'abord une scène champêtre bien tranquille. Mais attention, ouvre le volet et voilà un taureau furieux qui fonce sur toi !

Envoie cette carte à l'occasion d'un événement spécial que tu veux célébrer.

SUPER COLLAGE

Quelques photos de vieux magazines, de belles images de publicités ou de B.D., voilà de quoi composer un cadre en collage très original.

Fournitures

Feuille cartonnée et miroir à coller★

Magazines et vieilles B.D.

Colle blanche

Bâton de colle

Pâte adhésive

Ciseaux

Pinceau fin

Feutre marqueur

Fabrication

1 Sers-toi du miroir pour dessiner un carré sur une feuille cartonnée. Sélectionne des images qui te plaisent dans des vieilles B.D. et des magazines. Puis, découpe-les.

2 Enlève le miroir. Avec le bâton de colle, colle sur toute la ligne les images que tu as découpées. Tu obtiens une frise. Passe dessus une couche de colle blanche pour la faire briller.

Monsieur Bricolo

Quand tu composes la frise, place les images bout à bout sans laisser d'espace sur la ligne. Sinon, lorsque le miroir sera terminé, on verra le bord et ce sera moins joli !

Coupe avec les ciseaux la surface hachurée en rouge.

Appuie fort pour que la frise adhère bien.

3 Lorsque la frise est sèche, découpe-la. Coupe sans dépasser et essaie de ne pas amputer les petits personnages par un coup de ciseaux malheureux !

4 Mets de la pâte adhésive au dos de la frise et colle-la au miroir. Recouvre bien les bords du miroir.

★ *Attention, le miroir peut être coupant et avoir des bords tranchants. Manipule-le avec soin.*

Miroir, suis-je la plus belle ?

Voilà un miroir plein de vie, de couleurs et de créatures amusantes. Et tout cela en un tour de main ! À toi de découvrir maintenant si tu es la plus belle - ou le plus beau - du royaume !

Tu peux réaliser une frise à thème : champêtre avec des fleurs, science-fiction avec des engins lunaires, etc.

Monsieur Bricolo

Tu peux trouver ces miroirs à coller dans la plupart des magasins à grande surface et les quincailleries. Sinon, il existe aussi du papier miroir.

Fabrique une enseigne pour la porte de ta chambre. Tu peux même y inscrire ton nom au centre.

N'hésite pas à mélanger les images sur la frise.

Ma chambre

Version vedettes

Les collages te permettent de personnaliser et mettre en valeur bien d'autres objets. Admire ces boîtes de cassettes décorées de vedettes et de guitares rock !

Constitue-toi une collection d'images de tes stars préférées pour coller sur les boîtes.

Au zoo

Tu peux réaliser une belle frise sur le thème animalier. Il suffit pour cela d'avoir l'œil dans les magazines et tu dénicheras de superbes images. Mais tu peux aussi fabriquer une pancarte originale à suspendre à la porte de ta chambre ou encore créer des cartes de Noël. Tout est permis !

Tu peux aussi tout simplement réaliser un collage sur le thème de ton passe-temps favori.

51

GARGOUILLE SENTINELLE

Voilà de quoi faire reculer les visiteurs impolis qui ne frappent pas à la porte de ta chambre ! Ce heurtoir de porte les ramènera à la raison !

Fabrication

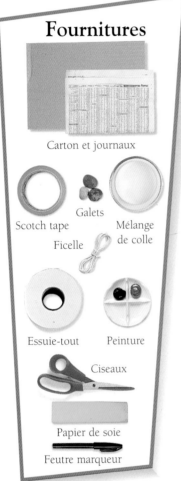

Fournitures

Carton et journaux

Scotch tape

Galets

Ficelle

Mélange de colle

Essuie-tout

Peinture

Ciseaux

Papier de soie

Feutre marqueur

Les quatre points serviront à fixer la poignée du heurtoir de porte au visage de la gargouille.

Ne recouvre pas d'essuie-tout le galet et les lèvres.

1 Sur du carton, dessine une gargouille avec une bouche terrifiante ! Découpe-la. Marque quatre petits points sur la lèvre supérieure.

2 Trempe des boulettes d'essuie-tout dans la colle. Travaille-les pour obtenir les traits du visage et colle-les. Scotche un petit galet sur la lèvre inférieure.

3 Quand c'est sec et dur, peins le visage en noir, puis laisse-le sécher. Tamponne-le avec du papier de soie enduit d'une peinture plus liquide. Perce les points sur la lèvre supérieure : ils serviront d'attaches à la poignée du heurtoir.

Avec des ciseaux, enlève les parties hachurées en rouge.

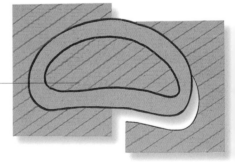

4 Sur un autre carton, dessine une deuxième bouche identique à la première : ce sera la poignée de porte. Découpe-la. Elle doit se superposer à la première.

Sentinelle vigilante

Veille à ce que les deux galets s'alignent parfaitement de manière à faire le maximum de bruit. Attache la gargouille à ta porte, histoire de refroidir les visiteurs indésirables !

Dessine un visage affreux avec des traits grossiers et répugnants.

En la peignant en doré ou en argenté, elle aura une patine à l'ancienne. Cette gargouille a l'air de sortir tout droit de Notre-Dame de Paris !

Pour que la ficelle ne se voie pas, peins-la de la même couleur que la poignée.

Concours de monstres

La plupart des gargouilles sont, par tradition, monstrueuses ! Alors, pas d'hésitation ! Fais-en une bien laide !

Accentue l'effet 3D en ajoutant des couches d'essuie-tout supplémentaires.

Tête de mort

Si tu veux décourager à jamais les visiteurs indésirables, cette tête de mort fera parfaitement l'affaire.

Utilise le scotch tape pour compresser au maximum tes deux boudins.

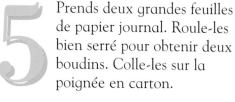

Le galet de la poignée doit être aligné avec celui du visage de la gargouille.

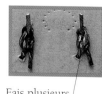

Fais plusieurs nœuds serrés au dos de la gargouille.

5 Prends deux grandes feuilles de papier journal. Roule-les bien serré pour obtenir deux boudins. Colle-les sur la poignée en carton.

6 Colle un galet sur la poignée. Recouvre-la d'essuie-tout en évitant d'en mettre sur le galet. Passe une couche de mélange de colle et peins-la.

7 Passe une ficelle dans les trous de la lèvre supérieure. Sers-t'en pour attacher solidement la poignée.

ARAIGNÉE SAUTEUSE

As-tu déjà vu des araignées à ressorts ? Ces charmantes araignées en papier se baladent et sautent lorsqu'on les secoue ! Une bonne blague en perspective.

Fabrication

Fournitures

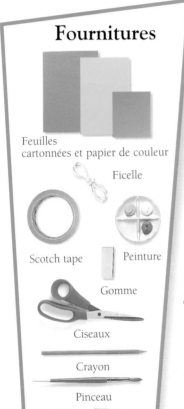

Feuilles cartonnées et papier de couleur

Ficelle

Scotch tape

Peinture

Gomme

Ciseaux

Crayon

Pinceau

Feutre marqueur

Il faut que les deux bandes forment un angle droit.

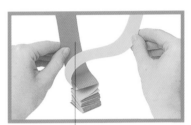

Commence par plier la bande du dessous, passe la deuxième dessus et ainsi de suite.

1 Découpe deux bandes fines et longues dans deux feuilles de papier de différente couleur. Superpose-les de manière à former un « L ». Scotche-les à la base.

2 Plie une bande sur l'autre pour obtenir une sorte d'accordéon. Colle ensemble les deux derniers bouts et coupe ce qui dépasse. Procède de la même façon pour les autres pattes. Il en faut quatre.

Donne à l'araignée une expression amusante et expressive.

Attends que le premier côté sèche avant de peindre l'autre côté.

3 Dessine le corps d'une araignée bien poilue avec ses huit pattes. Commence au crayon si tu n'as pas l'habitude de ces petites « bébêtes », puis découpe le tout soigneusement.

4 Peins-la sans oublier les traits de son visage. Soigne les détails. Tu peux en faire une boutonneuse ou une vénéneuse ! Peins les deux côtés, car ton mobile tournera sur lui-même.

Drôle de mobile

Perce un petit trou dans le corps de l'araignée et passe une ficelle. Il ne te reste plus qu'à l'accrocher au plafond de ta chambre. Regarde comme ses pattes tremblent et sautent.

Arrière ! Une tarentule

Si tu cherches une espèce redoutable, cette araignée aura tout pour te plaire avec ses yeux effrayants et cette bouche rouge, sanglante ! Quel mobile d'enfer !

Plus les pattes sont longues, plus ton araignée bougera.

Ces araignées sauteuses sont excellentes pour mettre de l'ambiance aux fêtes d'anniversaire.

La carapace noire et jaune accentue le côté féroce !

Pieuvre volante

Cette pieuvre souriante, avec ses petits boutons roses, a l'air moins redoutable que ses copines.

Assemble les deux parties de pied avec du scotch tape avant de les coller aux pattes-ressorts.

Avant de coller les quatre pattes, vérifie qu'elles soient bien positionnées.

5 Colle les pattes au bas des jambes-ressorts. Si tu veux fabriquer une araignée à longues pattes, il suffit de répéter les étapes 1 et 2. Colle-les au bout des premières pattes.

6 Si tu es satisfait de l'araignée que tu as créée sur le recto et verso, il ne te reste plus qu'à scotcher solidement les pattes dans le dos de son petit corps dodu !

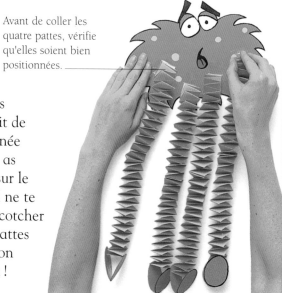

ART MODERNE

Voici un trompe-l'œil digne des plus grands artistes d'art abstrait ! Regarde bien sous tous les angles, ces labyrinthes colorés sont magiques !

Fournitures

Carton coloré

Papier blanc

Crayons de couleur

Ciseaux

Bâton de colle

Feutre marqueur

Monsieur Bricolo

Attention, une erreur de couleur ruinerait tout ton tableau ! Le mieux est de commencer par faire un petit point avec le bon crayon dans chaque triangle, de bien vérifier et ensuite de commencer ton coloriage.

Fabrication

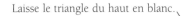
Laisse le triangle du haut en blanc.

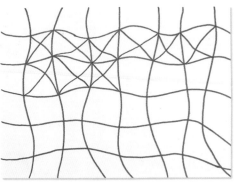

1 Dessine des lignes en forme de vagues, dans le sens horizontal et vertical. À l'intérieur de chaque carré, trace une croix aux traits arrondis et irréguliers.

2 Colorie les carrés en utilisant du noir à la base de chaque carré, une couleur foncée à gauche et un dégradé plus clair à droite.

Avant de le coller, roule le rectangle sur toute la largeur pour le faire onduler.

Laisse la marge libre. Ne colorie aucun rectangle sur les côtés.

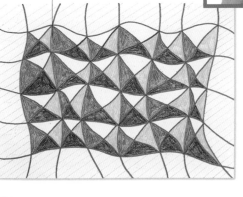

3 Colorie de la même façon tous les carrés. Ne cherche pas à modifier les teintes en utilisant d'autres crayons. Une fois ton coloriage terminé, découpe la marge blanche tout autour du rectangle.

4 Colle ton dessin sur un carton de couleur contrastée pour le mettre en valeur. Pour accentuer le côté 3D, ne le colle pas à plat. Fais-le onduler.

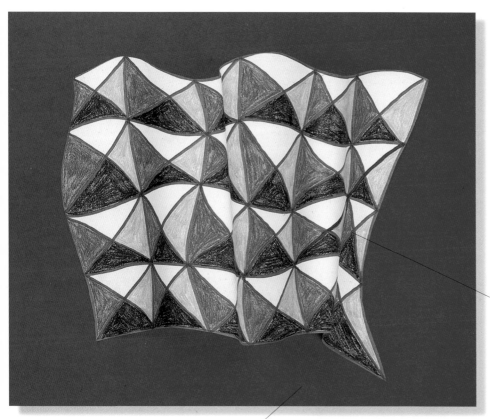

Tableau de maître

Plus tu fais onduler le dessin, plus tu accentues l'effet 3D. Au dos du dessin, mets un filet de colle sur chaque creux de vague, pour le fixer au support tout en le maintenant en mouvement. Il ne te reste plus qu'à accrocher ton œuvre... et à l'admirer !

Si tu préfères, tu peux peindre les triangles au lieu de les colorier.

Tes amis seront très impressionnés en découvrant ton tableau trompe-l'œil !

Choisis de belles couleurs pour la toile de fond. C'est cela qui donne de l'intensité au tableau.

À chacun sa vague !

En choisissant la taille de ton tableau et l'intensité du mouvement, tu obtiendras soit une mer agitée, soit une mer calme ! C'est toi le maître des vagues et de la 3D !

Plus tu dessines de colonnes de carrés, plus tu peux donner de mouvement à ton œuvre.

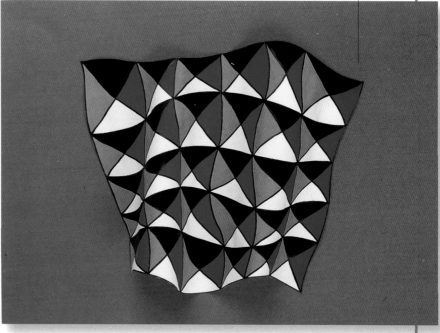

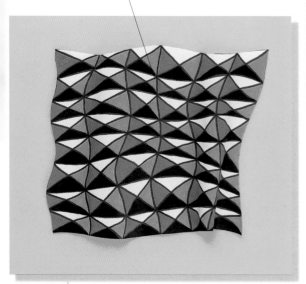

Art moderne

Tu peux dessiner plusieurs de ces tableaux abstraits. L'astuce est de toujours utiliser les mêmes couleurs pour chaque figure, la base restant toujours le noir et blanc. Ce sont eux qui mettent en valeur le dégradé de couleurs.

VIDÉOVILLE

Si tu passes ton temps à chercher tes vidéos, voilà une solution qui règlera ton problème de rangement ! Ton organisation fera des jaloux !

Fabrication

1 Assemble plusieurs boîtes de cassette vidéo en carton afin de former un gratte-ciel. Avec de la colle, assemble les boîtes comme sur la photo.

2 Pose ces gratte-ciel sur du carton. Trace un trait tout autour et découpe. Ce sera la façade et la porte d'entrée de tes gratte-ciel.

La colle va devenir dure et brillante en séchant.

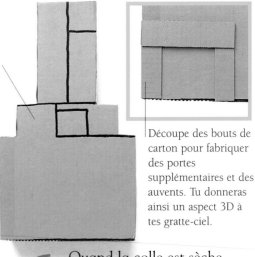

Cette partie sera au premier plan.

Découpe des bouts de carton pour fabriquer des portes supplémentaires et des auvents. Tu donneras ainsi un aspect 3D à tes gratte-ciel.

Monsieur Bricolo
Quand tu recouvriras les boîtes avec les jounaux, laisse libre les ouvertures sur le côté afin de pouvoir récupérer plus facilement les cassettes.

5 Passe une couche de colle blanche sur les deux côtés, le dos et le toit des gratte-ciel de Vidéoville. Recouvre-les avec du papier journal.

6 Quand la colle est sèche, dessine sur la façade l'emplacement des immeubles. Utilise un marqueur pour dessiner sur le carton.

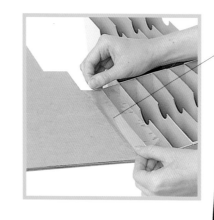

Pour renforcer la charnière de la porte, ouvre-la et colle-la aussi à l'intérieur.

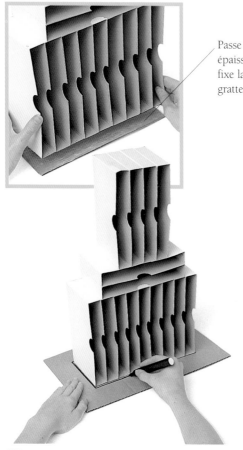

Passe une couche épaisse de colle et fixe la base au gratte-ciel.

Monsieur Bricolo
Colle la porte du gratte-ciel avec du scotch tape bien large. Ce sera plus efficace ! Mets-en plusieurs couches.

Colle uniquement ce côté, sinon tu ne pourras plus ouvrir la porte.

3 Pour équilibrer et consolider les gratte-ciel, fabrique-leur un socle. Pose-les sur du carton. Trace un trait tout autour. Découpe le socle et colle-le sous les gratte-ciel. Laisse sécher.

4 Pose à plat les gratte-ciel de manière à les voir de face. Place la porte en carton dessus. Colle-la avec des bandes de scotch tape sur le côté gauche. Ne colle pas le haut.

Ce dégradé de gris donne une impression de perspective 3D.

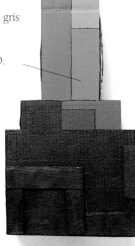

Peins l'intérieur de la porte en noir.

Si tu peins à la gouache, mets quelques gouttes de colle pour que la peinture adhère aux endroits collés.

7 Peins les gratte-ciel en noir pour les étages inférieurs et utilise un dégradé de gris pour les parties hautes. Peins en noir le toit et les côtés.

8 Pour les finitions, applique de belles couleurs vives pour peindre les fenêtres et les enseignes illuminées. C'est comme au centre-ville de Montréal !

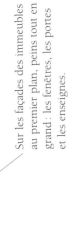

GRATTE-CIEL DE RÊVE

Et nous voici en plein Montréal ! Ton petit meuble vidéo en carton a fière allure, il ne te reste plus qu'à y ranger tes vidéos. Adieu le désordre !

Monsieur Bricolo

La gouache et la peinture acrylique sont d'une utilisation facile et donnent un effet lisse. Essaie de créer de beaux dégradés de couleur pour faire des jeux d'ombre et de lumière sur les gratte-ciel.

Ville lumière

Toutes les petites décorations et les finitions vont te prendre du temps, mais tes efforts seront largement récompensés. Tes gratte-ciel seront superbes avec leurs fenêtres et leurs lumières illuminant la nuit. Voici une ville de rêve qui ne brille que pour toi !

Des stylos dorés et argentés sont indispensables pour la décoration des gratte-ciel. Ils donnent du brillant, mettent en valeur les lumières et reproduisent une atmosphère de nuit !

Il suffit d'ouvrir la porte de la façade et voilà toutes tes vidéos bien rangées et bien ordonnées !

En peignant la partie la plus éloignée du gratte-ciel en gris pâle et en dessinant de minuscules fenêtres, tu renforceras l'effet 3D.

Sur les façades des immeubles au premier plan, peins tout en grand : les fenêtres, les portes et les enseignes.

Fais les finitions au feutre marqueur noir, comme les détails de décoration sur les fenêtres et sur les portes.

Amuse-toi à poser un toit en pente.

Ville champignon !

Tu peux commencer par fabriquer un petit gratte-ciel si tu ne possèdes qu'une ou deux vidéos. Mais rien ne t'empêche de développer et d'agrandir ta Vidéoville.

Tu peux fabriquer séparément des enseignes ou des petites arches comme dans les saloons ! Pour cela, utilise des bouts de carton que tu colles sur la façade de l'immeuble.

Pourquoi ne pas choisir un thème pour les enseignes commerciales ? Un complexe de cinéma, un bowling, un casino et un restaurant. Pourquoi pas ?

SECRETS DE FABRICATION

Voici le moment de te livrer tous mes secrets de fabrication et de te donner quelques conseils très utiles. Ceux-ci t'aideront à réaliser au mieux les projets de ce livre.

Graver du papier

Enroule du scotch tape au bout des ciseaux pour neutraliser les lames. Appuie fort sur le bout des lames. Prends garde à ne pas trop forcer, car tu risquerais de déchirer le papier.

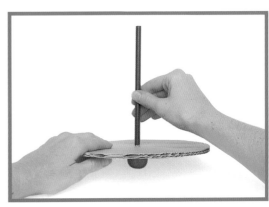

Perforer du carton

Pour percer un trou bien net, il est recommandé de placer en butoir une boule de pâte à modeler sous le carton et d'utiliser la mine pointue d'un crayon.

Fixer des attaches parisiennes

Enfonce au maximum l'attache parisienne. Attrape les deux extrémités, écarte-les et aplatis-les bien de chaque côté.

Dessiner sur un fond foncé

Si le support sur lequel tu travailles est de couleur foncée, utilise un crayon blanc ou une couleur pastel. Ce sera plus facile de repérer les traits.

Faire des finitions au feutre

Utilise un feutre marqueur noir pour faire toutes les finitions et dessiner les petits détails. Cela mettra en valeur tes dessins, leur donnera un aspect net et permettra de cacher les petites bavures.

Gonfler un ballon

La pompe à ballon est encore le meilleur moyen pour gonfler un ballon. Cela t'évitera d'être hors d'haleine.

Utilisation de la colle blanche

Colle blanche

Gouache

Fabriquer de la peinture acrylique
Tu peux fabriquer de la peinture acrylique qui résiste à l'eau en mélangeant de la gouache avec un peu de colle blanche.

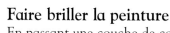

Faire briller la peinture
En passant une couche de colle blanche sur les dessins et les maquettes, tu obtiendras un joli brillant. La colle prend d'abord une couleur blanche mais en séchant, elle s'estompera et se transformera en un vernis brillant et protecteur.

Craie : mode d'emploi

Rouge

Violet

Mélanger des couleurs
Tu peux créer de jolies teintes en écrasant et en mélangeant des craies de différentes couleurs avec du coton ou des pinceaux.

Dessiner à la craie
Trace d'abord un trait. Étale-le du bout des doigts pour l'adoucir et estomper la couleur.

Accrocher tes œuvres

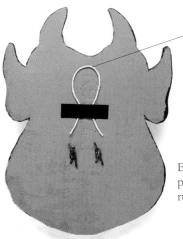

Ne fais pas une trop grande boucle. Elle risquerait de dépasser de l'autre côté.

Enlève la couche protectrice du ruban adhésif.

Fais une double boucle et un double nœud de chaque côté.

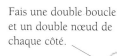

La boucle
Pour accrocher des objets légers, fais une boucle de ficelle et fixe-la avec du ruban adhésif.

Le ruban adhésif double face
Pour accrocher des tableaux plats comme les petits miroirs (p. 50-51), le ruban adhésif à double face est parfait.

La ficelle
Pour des tableaux plus lourds comme le cadre safari (p. 10-11), il vaut mieux utiliser une ficelle bien nouée aux coins.

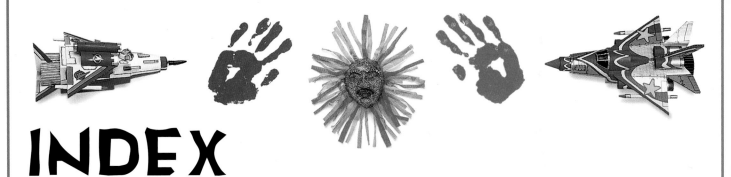

INDEX